Trish Deseine

Pavlovas

Photographies : Nathalie Carnet
Stylisme : Motoko Okuno

hachette
CUISINE

Sommaire

Introduction

Encore aujourd'hui, l'origine de la pavlova, cette pâtisserie délicatement sucrée et délicieusement crémeuse, reste incertaine : l'Australie et la Nouvelle-Zélande revendiquent l'invention de ce dessert. Mais une chose est sûre : il doit son nom à la célèbre ballerine russe, Anna Pavlova. Est-ce un hommage à sa manière si délicate et si aérienne de danser et de se déplacer ? Nul ne le sait…

En tout cas, il est rare de trouver un dessert qui fasse à ce point l'unanimité auprès des jeunes et des moins jeunes. S'il s'agit d'un simple gâteau à base d'œufs, de sucre et de crème, il donne une telle impression de légèreté et de fraîcheur !

La recette de base est simple : une fine couche de meringue croquante protège un nid peu profond mais mousseux rempli d'œufs à la neige à peine sucrés ; une garniture de crème fouettée rend le gâteau soyeux, avant que l'ajout de quelques fruits acidulés dynamite le tout, pour une inoubliable sensation en bouche.

La recette la plus originale est sans doute la pavlova au kiwi, fruit emblématique de la Nouvelle-Zélande qui, avec son parfum aigrelet et ses minuscules pépins, ajoute du peps à la douceur du gâteau.

Une fois intégrés les principes de base de la pavlova, vous verrez que toutes les variantes sont possibles. Voici d'ores et déjà 30 déclinaisons qui vous permettront de commencer à jouer avec ce dessert en passe de devenir culte et qui régalera, à n'en pas douter, tous vos convives. À vous, ensuite, d'adapter la recette à toutes vos envies, pour réaliser vos propres créations.

Ingrédients de base

Les œufs

Pour réaliser les pavlovas présentées dans cet ouvrage, vous utiliserez de préférence des œufs moyens, la taille la plus vendue en France. J'ai choisi de ne pas utiliser la balance pour peser les blancs d'œufs — pratique courante en pâtisserie — afin de ne pas effrayer les débutants. Toutes mes excuses aux perfectionnistes, mais libre à vous d'adapter mes recettes !

Pensez à utiliser des œufs que vous aurez préalablement réservés à température ambiante. Le mieux, de toute manière, consiste à les conserver ainsi en veillant à respecter les dates limites de consommation, mais il est en principe inutile de les placer au réfrigérateur. Pour monter les blancs, le bol doit être propre, sec et sans résidu de gras. N'oubliez pas de séparer les blancs des jaunes un par un, puis de les transvaser dans le bol du batteur. S'il y a la moindre trace de jaune, vous aurez du mal à monter les blancs.

Les œufs de cane permettent de réaliser de merveilleuses meringues ! Ils sont environ 30 % plus gros que les œufs de poule mais leurs blancs sont plus petits, proportionnellement à leurs jaunes. Quatre œufs de poule moyens équivalent à trois œufs de cane.

Le sucre

Lorsque vous battez les blancs en neige, attendez avant d'ajouter le sucre. Une fois que les blancs commencent à monter, versez le sucre petit à petit. Cette technique va « cuire » les œufs. Veillez à battre suffisamment les blancs pour faire disparaître les grains de sucre, sinon le sucre se transforme en sirop qui, une fois cuit, dégouline de l'intérieur de la pavlova, laquelle risque alors de se désagréger. Voilà pourquoi il vaut mieux utiliser du sucre extra-fin pour réaliser ce dessert.

Lorsque vous voulez réaliser une pavlova au sucre cassonade, fouettez les blancs suffisamment longtemps pour que les grains — légèrement plus gros que ceux du sucre blanc — fondent parfaitement. La cassonade donnera une jolie couleur et un goût subtil, légèrement toasté, à la pavlova, qui se mariera parfaitement avec le caramel, le chocolat, les noisettes et les amandes grillées… À tester absolument !

Le vinaigre ou le jus de citron

C'est l'ingrédient acide indispensable qui vous permettra d'obtenir une meringue bien mousseuse. N'hésitez pas à utiliser des vinaigres au goût prononcé comme le vinaigre de vin blanc, ou à la couleur foncée, comme celui de cidre. Attention, le vinaigre de riz est trop doux pour ce type de préparation.

La farine de maïs (Maïzena®)

La farine de maïs permet de stabiliser le mélange sans altérer la texture de la meringue.

Recette de base

Pour 6 à 8 personnes   Préparation : 10 min   Cuisson : 1 h   Refroidissement : 2 h

Ustensile : Batteur électrique

La Recette

Les Ingrédients

Préchauffez le four à 170 °C (th. 5-6).

Fouettez les blancs en neige souple avant d'ajouter le sucre petit à petit en battant bien, jusqu'à l'obtention d'une meringue lisse, ferme et brillante. Cette opération devrait vous prendre 4 à 5 min environ. Testez la meringue en la pinçant entre vos doigts : vous ne devez plus sentir les grains de sucre. Si c'est le cas, fouettez de nouveau. Le sucre doit être parfaitement dissous, sinon il risque de se transformer en un sirop qui suintera de la pavlova une fois cuite.

Mélangez le vinaigre ou le jus de citron, la farine de maïs et l'extrait de vanille. Versez cet appareil sur la meringue, puis mélangez délicatement.

Recouvrez une plaque à pâtisserie de papier sulfurisé puis, à l'aide d'une maryse, déposez-y un rond de meringue (15 cm de diamètre environ). Aplatissez légèrement le centre de ce rond et lissez les côtés : veillez à garder de la hauteur.

Ramenez la température du four à 120 °C (th. 4) et enfournez. Cette technique vous permettra de créer une croûte à la surface avant de cuire lentement l'intérieur de la pavlova. Au bout de 1 h de cuisson, éteignez le four et laissez sécher la pavlova en entrouvrant la porte.

Blancs d'œufs moyens (préalablement réservés à température ambiante) 4
Sucre extra-fin .... 220 g
Vinaigre ou jus de citron .... 1 cuil. à café
Farine de maïs .... 1 cuil. à soupe
Extrait naturel de vanille .... ½ cuil. à café

La crème

Traditionnellement, la pavlova est recouverte de crème Chantilly peu, voire pas sucrée. Dans ma recette de base, je vous propose de réaliser une chantilly à base de crème fleurette bien fraîche – généralement à 30 % de matière grasse – additionnée de mascarpone afin d'obtenir une consistance plus ferme. Avis aux gourmands : vous pouvez réaliser une crème Chantilly avec, au minimum, 30 cl de crème fleurette pour 2 cuil. à soupe de mascarpone et aller jusqu'à préparer une Chantilly avec 50 cl de crème fleurette et 3 cuil. à soupe de mascarpone. Il existe un mélange tout prêt chez Elle & Vire, ainsi qu'un produit de La Maison de la Chantilly avec un taux de matière grasse plus élevé et un stabilisateur. Si vous avez la possibilité de faire vos courses dans une épicerie anglaise, irlandaise ou même australienne, n'hésitez pas à acheter de la *double cream* ou de la *whipping cream* pour réaliser une crème Chantilly du meilleur effet !

Si la garniture de la pavlova est sucrée – avec du chocolat, du caramel, des fruits peu ou pas acidulés, du miel, du sirop, etc. –, vous pouvez donner une petite touche aigrelette à la chantilly en la mélangeant avec de la crème fraîche, de la *sour cream* ou même du yaourt. Cette technique fonctionne bien, par exemple, pour la pavlova Mont-Blanc, sur laquelle la crème de marron et les marrons glacés vont renforcer le côté sucré de la meringue.

Lorsque vous utilisez des framboises, de la mangue, de l'ananas, du fruit de la Passion ou d'autres fruits acidulés, vous pouvez sucrer légèrement la crème. Dans ce cas, choisissez du sucre glace pour éviter d'avoir des grains de sucre dans la crème et de perdre le côté soyeux de cette couche de la pavlova.

Techniques de base

Formes et tailles de la pavlova

La meringue est une base formidablement malléable : toutes les formes et toutes les tailles sont possibles mais attention, si vous aplatissez trop la base de la pavlova, que ce soit pour une bouchée, une pavlova individuelle ou pour 6 personnes, vous risquez de perdre le juste équilibre entre croûte croquante et cœur moelleux.

En Australie, on a tendance à construire la base de la pavlova comme un volcan légèrement aplati avec des lignes verticales réalisées à l'aide d'une spatule ou d'une maryse sur les côtés. Personnellement, je préfère les courbes et les lignes plus naturelles mais bien sûr, toujours en forme de nid suffisamment profond pour accueillir la crème. À vous de voir !

Cuisson et conservation

Un four préchauffé à 170 °C (th. 5-6), puis ramené à 120 °C (th. 4) juste avant d'enfourner, voilà le secret pour obtenir une pavlova à la croûte croquante et au cœur juste « pris ». Au bout d'une heure de cuisson, la pavlova doit se dessécher et cesser de cuire : pour ce faire, il est important de la laisser refroidir tout doucement, en même temps que le four, afin de bien stabiliser sa cuisson et sa texture. Évitez d'ouvrir la porte du four en cours de cuisson et de retirer la pavlova trop rapidement du four encore chaud.

Une fois cuite et froide, la pavlova se conservera parfaitement emballée dans du film alimentaire, puis placée dans une boîte hermétique au frais et au sec. Elle se congèle aussi très bien et est même délicieuse encore légèrement congelée. Avis aux plus étourdis !

Une fois entamée, consommez la pavlova dans les deux jours qui suivent. Personnellement, je la trouve toujours meilleure le lendemain. Au petit déjeuner, elle est irrésistible ! J'adore la manière dont la crème se mêle à la meringue mousseuse, au point qu'on ne distingue plus où commence l'une et où se termine l'autre !

Assemblage

Une grande partie du charme de la pavlova réside dans son côté « pagaille ». Mais si le coulis, la pulpe des fruits ou la sauce caramel dégoulinent artistiquement de la pavlova au moment où vous la montez, ce ne sera plus la même histoire au bout de quelques heures. Les pavlovas individuelles ou en bouchées — montées avec peu de sauce ou de coulis — tiendront mieux que les pavlovas pour 6 personnes.

Essayez donc autant que possible d'assembler les éléments de la pavlova et de monter le gâteau juste avant de le servir ou, éventuellement, juste avant le début du repas.

Fruits, coulis et sirops

Pour décorer une pavlova, rien ne vous empêche d'y déposer artistiquement une ou deux poignées de fruits rouges sur le dessus et basta ! Mais vous le verrez, vous ne serez pas mécontent de découvrir en bouche le fondant des fruits et, pourquoi pas, des arômes supplémentaires ?

Ainsi, n'hésitez pas à réaliser des compotes, à pocher tout simplement des pommes, des poires, des prunes, etc. ou à préparer un coulis à base de fraises ou de framboises. Pour ce faire, ajoutez un tiers de fruits rouges aux quantités indiquées dans la recette. Pour certains fruits – les framboises et les mûres notamment –, il vaut mieux passer ce coulis au tamis pour en retirer les graines.

Si vous vous servez d'un robot et d'un tamis pour faire votre coulis, pensez à ajouter du gingembre ou de la citronnelle fraîche pour ajouter un peu de peps.

Pour ce type de préparation, vous découvrirez rapidement que les fruits surgelés vous seront bien utiles. Comme la plupart des fruits surgelés perdent leur tenue une fois décongelés, mieux vaut en effet les faire compoter ou les réduire en coulis.

Une autre façon de donner du goût à des fruits un peu fades – comme les fraises au sortir de l'hiver, par exemple –, c'est de les mélanger à un sirop aromatisé infusé avec des épices ou des herbes. N'hésitez pas non plus à ajouter une cuillère à soupe de liqueur, notamment à base de fruits, comme du Grand Marnier, de la crème de cassis ou de framboise, etc.

Coulis cuit de mûres

Pour 1 pavlova de 6 personnes   Préparation : 5 min
Cuisson : 5 min   Refroidissement : 30 min
Ustensile : Tamis

Mûres .... 250 g
Sucre en poudre .... 75 g
Extrait naturel de vanille .... ½ cuil. à café

Mettez les mûres et le sucre dans une casserole et faites cuire pendant 5 min environ. Ajoutez l'extrait de vanille, puis passez au tamis et laissez refroidir.

Coulis cru de framboises

Pour 1 pavlova de 6 personnes   Préparation : 5 min
Ustensiles : Robot mixeur • Tamis

Framboises .... 300 g
Sucre glace .... 30 g
Citron (jus) .... ½

Mettez tous les ingrédients dans un robot mixeur et réduisez en purée. Passez au tamis avant de servir.

Coulis mi-cuit de framboises et de groseilles

Pour 1 pavlova de 6 personnes   Préparation : 3 min
Cuisson : 5 min   Refroidissement : 30 min
Ustensiles : Robot mixeur • Tamis

Groseilles .... 150 g
Sucre en poudre .... 2 cuil. à soupe
Framboises .... 150 g

Faites chauffer les groseilles avec le sucre et 2 cuil. à soupe d'eau dans une petite casserole jusqu'à ce que les fruits éclatent. Laissez refroidir, puis mixez les groseilles au robot avec les framboises. Passez au tamis et laissez refroidir avant de servir.

Coulis cru de mangues, ananas et citronnelle

Pour 1 pavlova de 6 personnes   Préparation : 5 min
Ustensiles : Robot mixeur • Tamis

Mangue fraîche 1
Ananas frais .... ⅓
Citronnelle fraîche .... 1 bâton

Mettez tous les ingrédients dans un robot mixeur et réduisez en purée. Si la purée est trop compacte, délayez avec le jus de 1 citron vert. Passez au tamis afin d'ôter les morceaux de citronnelle.

Sirop aux herbes

Pour environ 25 cl   Préparation : 3 min   Cuisson : 10 min   Refroidissement : 30 min
Ustensile : Tamis

Voici la recette de base pour les quantités d'herbes fraîches suivantes :

Sucre en poudre .... 200 g
Feuilles de basilic .... 50 g
ou feuilles de menthe .... 50 g
ou brins de romarin .... 20 g
ou thym .... 20 g
ou feuilles de laurier 6

Portez 25 cl d'eau à ébullition, puis ajoutez le sucre et remuez jusqu'à ce qu'il soit dissous.

Plongez-y l'herbe choisie et laissez bouillir à petit feu pendant 1 min.

Ôtez la casserole du feu et laissez refroidir 15 à 20 min avant d'enlever les herbes du sirop.

Passez le sirop au tamis et versez-le dans une bouteille ou dans un pot fermé. Il se conservera plusieurs semaines au réfrigérateur.

Menthe et orange

Pour 25 cl environ   Préparation : 3 min
Cuisson : 10 min   Refroidissement : 30 min
Ustensile : Tamis

Sucre en poudre .... 200 g
Feuilles de menthe fraîches .... 50 g
Orange bio ou non traitée (zeste et jus) 1

Portez 25 cl d'eau à ébullition, puis ajoutez le sucre et remuez jusqu'à ce qu'il soit dissous.

Ajoutez ensuite la menthe, le jus d'orange, ainsi que le zeste prélevé à l'aide d'un économe, et laissez bouillir à petit feu pendant 8 à 10 min.

Passez au tamis pour retirer le zeste et les feuilles de menthe et laissez refroidir avant de servir avec des fraises ou des framboises fraîches.

Citron vert et thym

Pour 25 cl environ   Préparation : 3 min
Cuisson : 10 min   Refroidissement : 30 min
Ustensile : Tamis

Sucre en poudre .... 200 g
Thym .... 30 g
Citron vert (zeste et jus) 1

Portez 25 cl d'eau à ébullition, puis ajoutez le sucre et remuez jusqu'à ce qu'il soit dissous.

Ajoutez alors la menthe, le jus et le zeste du citron vert prélevé à l'aide d'un économe, et laissez bouillir à petit feu pendant 8 à 10 min.

Passez le sirop au tamis pour ôter les feuilles de thym et le zeste de citron, puis laissez refroidir avant de servir avec du melon, des fraises ou de l'ananas.

Pavlova hibiscus, rose et grenade

Pour 6 à 8 personnes   Préparation : 15 min   Cuisson : 1 h   Refroidissement : 2 h

Ustensile : Batteur électrique

La Recette

Préchauffez le four à 170 °C (th. 5-6).

Préparez la meringue en suivant la recette de base (p. 10).

Mélangez le vinaigre ou le jus de citron, la farine de maïs et l'extrait de vanille. Versez cet appareil sur la meringue, puis mélangez délicatement.

Recouvrez une plaque à pâtisserie de papier sulfurisé puis, à l'aide d'une maryse, déposez-y un rond de meringue (15 cm de diamètre environ). Aplatissez légèrement le centre de ce rond et lissez les côtés : veillez à garder de la hauteur.

Les Ingrédients

Blancs d'œufs moyens (préalablement réservés à température ambiante) 4

Sucre extra-fin .... 220 g

Vinaigre ou jus de citron .... 1 cuil. à café

Farine de maïs .... 1 cuil. à soupe

Extrait naturel de vanille .... ½ cuil. à café

Grenade 1

Poudre d'hibiscus .... 2 cuil. à soupe

Extrait naturel de rose .... 2 gouttes

Framboises fraîches .... 250 à 300 g

Crème fleurette bien fraîche .... 50 cl

Mascarpone .... 3 cuil. à soupe

Ramenez la température du four à 120 °C (th. 4) et enfournez. Cette technique vous permettra de créer une croûte à la surface avant de cuire lentement l'intérieur de la pavlova. Au bout de 1 h de cuisson, éteignez le four et laissez sécher la pavlova en entrouvrant la porte.

Environ 1 h avant de servir, coupez la grenade en deux pour en prélever les grains et le jus, et versez-les dans un saladier. Ajoutez l'extrait de rose et les framboises. Mélangez le tout en veillant à ne pas écraser les framboises. Laissez les fruits mariner pendant 1 h environ, en remuant de temps en temps.

Montez la crème en chantilly avec le mascarpone, étalez-la sur la pavlova et disposez par-dessus les framboises marinées.

Pavlova pistaches et fraises

Pour 6 à 8 personnes   Préparation : 20 min   Cuisson : 1 h   Refroidissement : 2 h

Ustensile : Batteur électrique

La Recette

Les Ingrédients

Préchauffez le four à 170 °C (th. 5-6).

Préparez la meringue en suivant la recette de base (p. 10), puis ajoutez la moitié des pistaches finement hachées et mélangez.

Mélangez le vinaigre ou le jus de citron, la farine de maïs et l'extrait de vanille. Versez cet appareil sur la meringue aux pistaches, puis mélangez délicatement.

Recouvrez une plaque à pâtisserie de papier sulfurisé puis, à l'aide d'une maryse, déposez-y un rond de meringue (15 cm de diamètre environ). Aplatissez légèrement le centre de ce rond et lissez les côtés : veillez à garder de la hauteur.

Blancs d'œufs moyens (préalablement réservés à température ambiante) 4
Sucre extra-fin .... 220 g
Pistaches émondées .... 100 g
Vinaigre ou jus de citron .... 1 cuil. à café
Farine de maïs .... 1 cuil. à soupe
Extrait naturel de vanille .... ½ cuil. à café
Nectarines ou pêches bien mûres 2
Fraises .... 150 g
Crème fleurette bien fraîche .... 50 cl
Mascarpone .... 3 cuil. à soupe

Ramenez la température du four à 120 °C (th. 4) et enfournez. Cette technique vous permettra de créer une croûte à la surface avant de cuire lentement l'intérieur de la pavlova. Au bout de 1 h de cuisson, éteignez le four et laissez sécher la pavlova en entrouvrant la porte.

Dénoyautez les nectarines ou les pêches et coupez-les en lamelles, avec ou sans la peau. Coupez les fraises en deux sans les équeuter.

Montez la crème en chantilly avec le mascarpone, étalez-la sur la pavlova et posez par-dessus les fruits coupés et le reste des pistaches.

Pavlovas en bouchées kiwi et raisin blanc

Pour 20 bouchées environ   Préparation : 45 min   Cuisson : 40 min   Refroidissement : 2 h

Ustensile : Batteur électrique

La Recette

Les Ingrédients

Préchauffez le four à 170 °C (th. 5-6).

Préparez la meringue en suivant la recette de base (p. 10).

Mélangez le vinaigre ou le jus de citron, la farine de maïs et l'extrait de vanille. Versez cet appareil sur la meringue, puis mélangez délicatement.

Recouvrez une plaque à pâtisserie de papier sulfurisé puis, à l'aide d'une cuillère à soupe, déposez la meringue en petits tas ronds de 3 cm de diamètre environ. Aplatissez légèrement le centre de chaque petit tas et lissez les côtés : veillez à garder de la hauteur.

Blancs d'œufs moyens (préalablement réservés à température ambiante) 4
Sucre extra-fin .... 220 g
Vinaigre ou jus de citron .... 1 cuil. à café
Farine de maïs .... 1 cuil. à soupe
Extrait naturel de vanille .... ½ cuil. à café
Crème fleurette bien fraîche .... 50 cl
Mascarpone .... 3 cuil. à soupe
Raisin blanc .... 20 grains
Kiwis 4

Ramenez la température du four à 120 °C (th. 4) et enfournez. Cette technique vous permettra de créer une croûte à la surface avant de cuire lentement l'intérieur des mini-pavlovas. Au bout de 40 min de cuisson, éteignez le four et laissez sécher les pavlovas en entrouvrant la porte.

Épluchez les kiwis et coupez-les en demi-rondelles, coupez les grains de raisin en deux et ôtez les pépins.

Montez la crème en chantilly avec le mascarpone, puis garnissez chaque bouchée de crème, d'un morceau de kiwi et de 2 demi-grains de raisin.

Pavlova au fruit de la Passion et chocolat blanc

Pour 6 à 8 personnes   Préparation : 15 min   Cuisson : 1 h   Refroidissement : 2 h

Ustensiles : Batteur électrique • Robot mixeur

La Recette

Préchauffez le four à 170 °C (th. 5-6).

Préparez la meringue en suivant la recette de base (p. 10).

Mélangez le vinaigre, le cacao en poudre et le chocolat noir. Versez cet appareil sur la meringue, puis mélangez délicatement.

Recouvrez une plaque à pâtisserie de papier sulfurisé puis, à l'aide d'une maryse, déposez-y un rond de meringue (15 cm de diamètre environ). Aplatissez légèrement le centre de ce rond et lissez les côtés : veillez à garder de la hauteur.

Les Ingrédients

Blancs d'œufs moyens (préalablement réservés à température ambiante) 4
Sucre extra-fin .... 220 g
Vinaigre .... 1 cuil. à café
Cacao en poudre .... 3 cuil. à soupe
Chocolat noir haché .... 120 g
Fruits de la Passion 4
Crème fleurette bien fraîche .... 50 cl
Mascarpone .... 3 cuil. à soupe
Chocolat blanc .... 150 g

Ramenez la température du four à 120 °C (th. 4) et enfournez. Au bout de 1 h de cuisson, éteignez le four et laissez sécher la pavlova en entrouvrant la porte.

Passez la pulpe, les graines et le jus des fruits de la Passion pendant quelques secondes au robot afin de détacher les éléments les uns des autres.

Montez la crème en chantilly avec le mascarpone. Faites fondre le chocolat blanc au bain-marie, puis incorporez-le délicatement à la chantilly. Étalez cette crème sur la pavlova et disposez par-dessus la pulpe et le jus des fruits de la Passion, en laissant couler le jus sur les côtés du gâteau.

Pavlova aux fraises, crème à la vanille et sirop de menthe

Pour 6 à 8 personnes   Préparation : 25 min   Cuisson : 1 h   Refroidissement : 2 h

Ustensile : Batteur électrique

La Recette

Les Ingrédients

Préchauffez le four à 170 °C (th. 5-6).

Préparez la meringue en suivant la recette de base (p. 10).

Mélangez le vinaigre ou le jus de citron, la farine de maïs et ½ cuil. à café d'extrait de vanille. Versez cet appareil sur la meringue, puis mélangez délicatement.

Recouvrez une plaque à pâtisserie de papier sulfurisé puis, à l'aide d'une maryse, déposez-y un rond de meringue (15 cm de diamètre environ). Aplatissez légèrement le centre de ce rond et lissez les côtés : veillez à garder de la hauteur.

Blancs d'œufs moyens (préalablement réservés à température ambiante) 4

Sucre extra-fin .... 220 g

Vinaigre ou jus de citron .... 1 cuil. à café

Farine de maïs .... 1 cuil. à soupe

Extrait naturel de vanille .... 1,5 cuil. à café

Gousse de vanille 1

Sucre en poudre .... 200 g

Basilic frais .... 10 feuilles

Menthe fraîche .... 6 feuilles

Crème fleurette bien fraîche .... 50 cl

Mascarpone .... 3 cuil. à soupe

Fraises .... 250 g

Ramenez la température du four à 120 °C (th. 4) et enfournez. Cette technique vous permettra de créer une croûte à la surface avant de cuire lentement l'intérieur de la pavlova. Au bout de 1 h de cuisson, éteignez le four et laissez sécher la pavlova en entrouvrant la porte.

Réalisez le sirop. Portez 22,5 cl d'eau à ébullition avec le sucre et jetez-y les feuilles de basilic et de menthe, en réservant 2 feuilles de chaque pour la décoration. Laissez infuser 2 min, puis ôtez les feuilles. Laissez réduire le sirop jusqu'à l'obtention d'une consistance bien épaisse. Réservez.

Montez la crème en chantilly avec le mascarpone, puis ajoutez la cuillère à café d'extrait de vanille restante et les graines de la gousse de vanille que vous aurez préalablement prélevées de la pointe d'un couteau. Étalez la crème Chantilly sur la pavlova et disposez par-dessus les fraises équeutées et coupées en lamelles.

Coupez très finement les feuilles réservées de basilic et de menthe et mélangez-les au sirop.
Arrosez le dessus de la pavlova avec ce sirop.

Pavlova noix de coco et mangue

Pour 6 à 8 personnes   Préparation : 20 min   Cuisson : 1 h   Refroidissement : 2 h

Ustensiles : Batteur électrique • Robot mixeur

La Recette

Préchauffez le four à 170 °C (th. 5-6).

Préparez la meringue en suivant la recette de base (p. 10). Ajoutez les lamelles de noix de coco et mélangez.

Mélangez le vinaigre ou le jus de citron, la farine de maïs et l'extrait de vanille. Versez cet appareil sur la meringue, puis mélangez délicatement.

Recouvrez une plaque à pâtisserie de papier sulfurisé puis, à l'aide d'une maryse, déposez-y un rond de meringue (15 cm de diamètre environ). Aplatissez légèrement le centre de ce rond et lissez les côtés : veillez à garder de la hauteur.

Ramenez la température du four à 120 °C (th. 4) et enfournez. Au bout de 1 h de cuisson, éteignez le four et laissez sécher la pavlova en entrouvrant la porte.

Les Ingrédients

Blancs d'œufs moyens (préalablement réservés à température ambiante) 4

Sucre extra-fin .... 220 g

Vinaigre ou jus de citron .... 1 cuil. à café

Farine de maïs .... 1 cuil. à soupe

Extrait naturel de vanille .... ½ cuil. à café

Noix de coco séchée en lamelles 1

Mangue fraîche 1

Citron vert (jus) .... 2 cuil. à soupe

Crème fleurette bien fraîche .... 50 cl

Mascarpone .... 3 cuil. à soupe

Variante

Si vous ne trouvez pas de mangue bien mûre, vous pouvez la remplacer par de la mangue surgelée que vous aurez pris soin de décongeler à l'avance.

Épluchez la mangue, placez-en un tiers dans le robot mixeur et préparez un coulis en délayant avec le jus de citron vert.

Montez la crème et le mascarpone en chantilly, étalez celle-ci sur la pavlova et garnissez avec le restant de mangue coupée en lamelles et le coulis.

Fruits

Pavlova aux cerises, au thym et au citron

Pour 6 à 8 personnes   Préparation : 25 min   Cuisson : 1 h   Refroidissement : 2 h

Ustensiles : Batteur électrique • Tamis

La Recette

Les Ingrédients

Préchauffez le four à 170 °C (th. 5-6).

Préparez la meringue en suivant la recette de base (p. 10).

Mélangez le vinaigre ou le jus de citron, la farine de maïs et l'extrait de vanille. Versez cet appareil sur la meringue, puis mélangez délicatement.

Recouvrez une plaque à pâtisserie de papier sulfurisé puis, à l'aide d'une maryse, déposez-y un rond de meringue (15 cm de diamètre environ). Aplatissez légèrement le centre de ce rond et lissez les côtés : veillez à garder de la hauteur.

Blancs d'œufs moyens (préalablement réservés à température ambiante) 4

Sucre extra-fin .... 220 g

Vinaigre ou jus de citron .... 1 cuil. à café

Farine de maïs .... 1 cuil. à soupe

Extrait naturel de vanille .... ½ cuil. à café

Sucre en poudre .... 4 cuil. à soupe

Citrons (jus) 2

Feuilles de thym frais .... ½ cuil. à café

Crème fleurette bien fraîche .... 50 cl

Mascarpone .... 2 cuil. à soupe

Yaourt à la grecque .... 200 g

Cerises .... 300 g

Ramenez la température du four à 120 °C (th. 4) et enfournez. Cette technique vous permettra de créer une croûte à la surface avant de cuire lentement l'intérieur de la pavlova. Au bout de 1 heure de cuisson, éteignez le four et laissez sécher la pavlova en entrouvrant la porte.

Dans une petite casserole, portez 150 cl d'eau, le sucre et le jus de citron à ébullition, jetez-y le thym et faites frémir pendant 5 min environ. Filtrez et laissez refroidir complètement. Il faut que le sirop soit assez épais pour ne pas trop couler à la surface de la pavlova.

Montez la crème en chantilly avec le mascarpone, puis ajoutez délicatement le yaourt.
Étalez cette crème sur la pavlova.

Mettez du sirop sur toute la surface de la pavlova et terminez avec les cerises équeutées et dénoyautées.
Servez immédiatement.

Mini-pavlovas aux fruits rouges

Pour 6 à 8 personnes   Préparation : 25 min   Cuisson : 50 min   Refroidissement : 2 h

Ustensile : Batteur électrique

La Recette

Les Ingrédients

Préchauffez le four à 170 °C (th. 5-6).

Préparez la meringue en suivant la recette de base (p. 10).

Mélangez le vinaigre ou le jus de citron, la farine de maïs et l'extrait de vanille. Versez cet appareil sur la meringue, puis mélangez délicatement.

Recouvrez une plaque à pâtisserie de papier sulfurisé puis, à l'aide d'une maryse, réalisez 6 à 8 ronds de meringue (soit 1 par personne). Aplatissez légèrement le centre de ces ronds pour en faire de petits nids et lissez les côtés : veillez à garder de la hauteur.

Blancs d'œufs moyens (préalablement réservés à température ambiante) 4

Sucre extra-fin .... 220 g

Vinaigre ou jus de citron .... 1 cuil. à café

Farine de maïs .... 1 cuil. à soupe

Extrait naturel de vanille .... ½ cuil. à café

Crème fleurette bien fraîche .... 50 cl

Mascarpone .... 3 cuil. à soupe

Fraises .... 500 g

Sucre glace .... 3 cuil. à soupe

Framboises .... 500 g

Sorbet à la fraise .... 1 l

Ramenez la température du four à 120 °C (th. 4) et enfournez. Cette technique vous permettra de créer une croûte à la surface avant de cuire lentement l'intérieur de la pavlova. Au bout de 50 min de cuisson, éteignez le four et laissez sécher les mini-pavlovas en entrouvrant la porte.

Montez la crème en chantilly avec le mascarpone, puis réservez.

Réduisez 150 g de fraises en coulis puis ajoutez le sucre glace.

Sortez le sorbet du congélateur 10 min avant de servir.

Montez les pavlovas : posez une boule de sorbet au fond du « nid », entourez-la de fraises coupées en deux et de framboises, versez un peu de coulis, puis couvrez avec la crème et terminez avec du coulis (ou sans coulis si vous préférez une présentation plus nette) et le reste des fruits.

Pavlova au caramel et aux pommes

Pour 6 à 8 personnes   Préparation : 20 min   Cuisson : 1 h   Refroidissement : 2 h

Ustensile : Batteur électrique

La Recette

Les Ingrédients

Préchauffez le four à 170 °C (th. 5-6).

Préparez la meringue en suivant la recette de base (p. 10).

Mélangez le vinaigre ou le jus de citron, la farine de maïs et l'extrait de vanille. Versez cet appareil sur la meringue, puis mélangez délicatement.

Recouvrez une plaque à pâtisserie de papier sulfurisé puis, à l'aide d'une maryse, déposez-y un rond de meringue (15 cm de diamètre environ). Aplatissez légèrement le centre de ce rond et lissez les côtés : veillez à garder de la hauteur.

Ramenez la température du four à 120 °C (th. 4) et enfournez. Cette technique vous permettra de créer une croûte à la surface avant de cuire lentement l'intérieur de la pavlova. Au bout de 1 h de cuisson, éteignez le four et laissez sécher la pavlova en entrouvrant la porte.

Blancs d'œufs moyens (préalablement réservés à température ambiante) 6
Sucre cassonade .... 350 g
Vinaigre ou jus de citron .... 2 cuil. à café
Farine de maïs .... 4 cuil. à soupe
Extrait naturel de vanille .... ½ cuil. à café
Pommes Granny 4
Beurre .... 25 g
Crème fleurette bien fraîche .... 50 cl
Mascarpone .... 3 cuil. à soupe

Pour la sauce au caramel

Beurre demi-sel .... 100 g
Cassonade .... 50 g
Sucre .... 50 g
Golden syrup .... 3 cuil. à soupe
Crème fraîche épaisse .... 150 g

Réalisez la sauce pendant que la pavlova cuit : versez le beurre, les sucres et le sirop dans une petite casserole et faites fondre, puis laissez frémir pendant 3 min.

Ajoutez la crème fraîche, remuez et laissez cuire pendant encore 1 min. Laissez refroidir mais ne mettez pas cette crème au réfrigérateur. Elle doit être juste au-dessus de la température ambiante pour ne pas figer.

Épluchez les pommes et coupez-les en tranches assez fines. Faites fondre 25 g de beurre dans une poêle et faites dorer les morceaux de pommes jusqu'à ce qu'ils soient bien dorés et fondants. Laissez-les refroidir légèrement mais ne les mettez pas au réfrigérateur.

Avant de servir, montez la crème en chantilly avec le mascarpone et étalez cette crème sur la pavlova.
Piquez les tranches de pommes caramélisées dans la crème et faites des zigzags sur le dessus avec la
sauce caramel. Servez immédiatement.

Pavlova black & white à étages

Pour 8 à 12 personnes   Préparation : 30 min   Cuisson : 1 h   Refroidissement : 2 h

Ustensile : Batteur électrique

La Recette

Les Ingrédients

Préchauffez le four à 170 °C (th. 5-6).

Préparez la meringue en suivant la recette de base (p. 10).

Mélangez le vinaigre ou le jus de citron, la farine de maïs et l'extrait de vanille. Versez cet appareil sur la meringue, puis mélangez délicatement.

Recouvrez une plaque à pâtisserie de papier sulfurisé puis, à l'aide d'une maryse, déposez-y 3 ronds de meringue de 15 cm de diamètre environ.

Blancs d'œufs moyens (préalablement réservés à température ambiante) 6

Sucre extra-fin .... 300 g

Vinaigre ou jus de citron .... 2 cuil. à café

Farine de maïs .... 1,5 cuil. à soupe

Extrait naturel de vanille .... 1 cuil. à café

Mûres .... 600 g

Confiture de cassis .... 2 à 3 cuil. à soupe

Crème fleurette bien fraîche ....75 cl

Mascarpone .... 3 cuil. à soupe

Ramenez la température du four à 120 °C (th. 4) et enfournez. Cette technique vous permettra de créer une croûte à la surface avant de cuire lentement l'intérieur de la pavlova. Au bout de 1 h de cuisson, éteignez le four et laissez sécher la pavlova en entrouvrant la porte.

Réduisez 150 g à 200 g de mûres en coulis, puis ajoutez la confiture de cassis. Réservez.

Montez la crème en chantilly avec le mascarpone, puis étalez-la sur le premier disque de pavlova, garnissez de mûres. Répétez l'opération avec les deux autres disques.

Versez le coulis sur le dessus de la pavlova et servez aussitôt.

Roulade de pavlova

Pour 6 à 8 personnes   Préparation : 20 min   Cuisson : 30 min   Refroidissement : 1 h

Ustensile : Batteur électrique

La Recette

Les Ingrédients

Préchauffez le four à 170 °C (th. 5-6).

Préparez la meringue en suivant la recette de base (p. 10).

Mélangez le vinaigre ou le jus de citron, la farine de maïs et l'extrait de vanille. Versez cet appareil sur la meringue, puis mélangez délicatement.

Chemisez de papier sulfurisé une plaque à pâtisserie de 23 x 23 cm environ, en veillant à bien couvrir les bords.

À l'aide d'une maryse et d'un grand couteau plat, étalez la meringue sur toute la surface de la plaque, sur une épaisseur de 3 cm environ.

Ramenez la température du four à 120 °C (th. 4) et enfournez pour 25 à 30 min de cuisson : il faut que le dessus de la meringue commence à dorer légèrement.

Sortez du four et laissez refroidir pendant 10 min.

Sur une grille à pâtisserie ou une plaque suffisamment grande, posez une feuille de papier cuisson un peu plus longue que la pavlova et parsemez-la de sucre. Démoulez la pavlova sur le papier et ôtez délicatement la première feuille de papier cuisson. La partie mousseuse de la pavlova doit se trouver au-dessus — c'est là que vous allez déposer la crème et les fruits — et la partie croustillante en dessous. Laissez refroidir complètement avant de garnir et de rouler.

À ce stade, vous pouvez égaliser les bords — surtout les extrémités — avec un couteau si vous souhaitez une présentation plus nette.

Montez la crème en chantilly avec le mascarpone. Étalez les deux tiers de la chantilly sur la pavlova en laissant 2 cm de tous les côtés. Placez les fruits dans une bande au milieu, dans la longueur (réservez-en quelques-uns pour la touche finale).

À l'aide de la deuxième feuille de cuisson, enroulez délicatement la pavlova sur elle-même, en laissant le joint sur le dessus. Veillez à ce que les fruits restent bien au milieu. Décorez avec le restant de la crème et parsemez de fruits frais.

Blancs d'œufs moyens (préalablement réservés à température ambiante) 4

Sucre extra-fin .... 220 g

Vinaigre ou jus de citron .... 1 cuil. à café

Farine de maïs .... 1 cuil. à soupe

Extrait naturel de vanille .... ½ cuil. à café

Crème fleurette bien fraîche .... 40 cl

Mascarpone .... 3 cuil. à soupe

Fraises, framboises, mûres
(selon votre goût) .... 200 g

Pavlova lemon curd

Pour 6 à 8 personnes   Préparation : 45 min   Cuisson : 1 h   Refroidissement : 2 h
Ustensile : Batteur électrique

La Recette

Les Ingrédients

Préchauffez le four à 170 °C (th. 5-6).

Préparez la meringue en suivant la recette de base (p. 10).

Mélangez le vinaigre ou le jus de citron, la farine de maïs et l'extrait de vanille. Versez cet appareil sur la meringue, puis mélangez délicatement.

Recouvrez une plaque à pâtisserie de papier sulfurisé puis, à l'aide d'une maryse, déposez-y un rond de meringue (15 cm de diamètre environ). Aplatissez légèrement le centre de ce rond et lissez les côtés : veillez à garder de la hauteur.

Blancs d'œufs moyens (préalablement réservés à température ambiante) 4
Sucre extra-fin .... 220 g
Vinaigre ou jus de citron .... 1 cuil. à café
Farine de maïs .... 1 cuil. à soupe
Extrait naturel de vanille .... ½ cuil. à café
Citrons bio ou non traités 4
Sucre .... 200 g
Beurre .... 100 g
Œufs 3
Jaune d'œuf 1
Crème fleurette bien fraîche .... 50 cl
Mascarpone .... 3 cuil. à soupe

Ramenez la température du four à 120 °C (th. 4) et enfournez. Cette technique vous permettra de créer une croûte à la surface avant de cuire lentement l'intérieur de la pavlova. Au bout de 1 h de cuisson, éteignez le four et laissez sécher la pavlova en entrouvrant la porte.

Dans un bol, versez le jus et le zeste des citrons, le sucre et le beurre coupé en petits dés. Placez ce bol au-dessus d'une casserole d'eau frémissante. Laissez chauffer en remuant de temps en temps et en vous assurant que le fond du bol ne touche pas l'eau, jusqu'à ce que le beurre ait fondu.

Battez légèrement les œufs et le jaune d'œuf ensemble et versez-les sur le mélange de beurre et de sucre. Laissez cuire en remuant doucement et régulièrement jusqu'à ce que la crème épaississe et nappe le dos d'une cuillère en bois.

Laissez la crème refroidir en remuant de temps en temps. Couvez-la de film alimentaire pour éviter qu'une croûte se forme.

Avant de servir, versez le lemon curd sur la pavlova en le laissant déborder joliment sur les côtés par endroits.

Montez la crème fleurette en chantilly avec le mascarpone puis étalez-la sur le lemon curd. Servez immédiatement.

Pavlova orange sanguine et vanille

Pour 6 à 8 personnes   Préparation : 20 min   Cuisson : 1 h   Refroidissement : 2 h

Ustensile : Batteur électrique

La Recette

Préchauffez le four à 170 °C (th. 5-6).

Préparez la meringue en suivant la recette de base (p. 10).

Mélangez le vinaigre ou le jus de citron, la farine de maïs et ½ cuil. à café d'extrait de vanille. Versez cet appareil sur la meringue, puis mélangez délicatement.

Recouvrez une plaque à pâtisserie de papier sulfurisé puis, à l'aide d'une maryse, déposez-y un rond de meringue (15 cm de diamètre environ). Aplatissez légèrement le centre de ce rond et lissez les côtés : veillez à garder de la hauteur.

Les Ingrédients

Blancs d'œufs moyens (préalablement réservés à température ambiante) 4
Sucre extra-fin .... 220 g
Vinaigre ou jus de citron .... 1 cuil. à café
Farine de maïs .... 1 cuil. à soupe
Extrait naturel de vanille .... 1,5 cuil. à café
Oranges sanguines
(si possible sans pépins) .... 4 grosses
Gousse de vanille 1
Sucre .... 4 cuil. à soupe
Crème fleurette bien fraîche .... 30 cl
Mascarpone .... 2 cuil. à soupe bombées

Ramenez la température du four à 120 °C (th. 4) et enfournez. Cette technique vous permettra de créer une croûte à la surface avant de cuire lentement l'intérieur de la pavlova. Au bout de 1 h de cuisson, éteignez le four et laissez sécher la pavlova en entrouvrant la porte.

Épluchez les oranges sanguines avec un couteau bien aiguisé, en veillant à supprimer tout le blanc. Coupez-les en tranches de 1 cm environ, au-dessus d'une casserole moyenne pour collecter tout le jus. Réservez les tranches.

Coupez la gousse de vanille en deux dans le sens de la longueur et, de la pointe d'un couteau, prélevez les graines que vous réserverez pour la chantilly.

Ajoutez le sucre et 15 cl d'eau à la casserole contenant le jus d'orange, ainsi que la gousse de vanille et les tranches d'oranges. Couvrez et portez à ébullition pendant 5 min, puis ôtez les tranches d'oranges et la gousse, et placez-les dans une assiette creuse.

Remettez la casserole sur le feu et faites réduire le sirop de moitié. Versez le sirop chaud sur les oranges et la gousse de vanille, laissez refroidir complètement.

Montez la crème et le mascarpone en chantilly avec les graines et la cuil. à café d'extrait de vanille restante. Étalez la chantilly sur la pavlova et posez par-dessus les tranches d'oranges au sirop.

Pavlova yuzu, gingembre et ananas

Pour 6 à 8 personnes   Préparation : 15 min   Cuisson : 1 h   Refroidissement : 2 h
Ustensile : Batteur électrique

La Recette

Préchauffez le four à 170 °C (th. 5-6).

Préparez la meringue en suivant la recette de base (p. 10).

Mélangez le vinaigre ou le jus de citron, la farine de maïs et l'extrait de vanille. Versez cet appareil sur la meringue, puis mélangez délicatement.

Recouvrez une plaque à pâtisserie de papier sulfurisé puis, à l'aide d'une maryse, déposez-y un rond de meringue (15 cm de diamètre environ). Aplatissez légèrement le centre de ce rond et lissez les côtés : veillez à garder de la hauteur.

Les Ingrédients

Blancs d'œufs moyens (préalablement réservés à température ambiante) 4
Sucre extra-fin .... 220 g
Vinaigre ou jus de citron .... 1 cuil. à café
Farine de maïs .... 1 cuil. à soupe
Extrait naturel de vanille .... ½ cuil. à café
Yuzu (jus) .... 2 cuil. à soupe
Morceaux de gingembre confit
au sirop .... 250 g
Ananas frais .... ½
Crème fleurette bien fraîche .... 30 cl
Mascarpone .... 2 cuil. à soupe bombées

Ramenez la température du four à 120 °C (th. 4) et enfournez. Cette technique vous permettra de créer une croûte à la surface avant de cuire lentement l'intérieur de la pavlova. Au bout de 1 h de cuisson, éteignez le four et laissez sécher la pavlova en entrouvrant la porte.

Dans un saladier, mélangez le jus de yuzu et les morceaux de gingembre confit avec la moitié de leur sirop et l'ananas frais coupé en dés de 2 cm environ.

Montez la crème en chantilly avec le mascarpone, étalez-la sur la pavlova et déposez par-dessus l'ananas au yuzu et au gingembre confit.

Pavlova à l'eau de fleur d'oranger, pêches et amandes

Pour 6 à 8 personnes   Préparation : 45 min   Cuisson : 1 h   Refroidissement : 2 h

Ustensile : Batteur électrique

La Recette

Préchauffez le four à 170 °C (th. 5-6).

Préparez la meringue en suivant la recette de base (p. 10).

Mélangez le vinaigre ou le jus de citron, la farine de maïs et l'extrait de vanille. Versez cet appareil sur la meringue avec l'eau de fleur d'oranger, puis mélangez délicatement.

Recouvrez une plaque à pâtisserie de papier sulfurisé puis, à l'aide d'une maryse, déposez-y un rond de meringue (15 cm de diamètre environ). Aplatissez légèrement le centre de ce rond et lissez les côtés : veillez à garder de la hauteur.

Ramenez la température du four à 120 °C (th. 4) et enfournez. Cette technique vous permettra de créer une croûte à la surface avant de cuire lentement l'intérieur de la pavlova. Au bout de 1 h de cuisson, éteignez le four et laissez sécher la pavlova en entrouvrant la porte.

Faites griller les amandes effilées avec un peu de sucre dans une poêle afin de les caraméliser légèrement, puis laissez-les refroidir.

Avant de servir, montez la crème en chantilly avec le mascarpone, garnissez la pavlova avec cette crème et les pêches épluchées et taillées en lamelles, puis parsemez d'amandes caramélisées.

Les Ingrédients

Blancs d'œufs moyens (préalablement réservés à température ambiante) 4

Sucre extra-fin .... 220 g

Vinaigre ou jus de citron .... 1 cuil. à café

Farine de maïs .... 1 cuil. à soupe

Extrait naturel de vanille .... ½ cuil. à café

Eau de fleur d'oranger .... 2 cuil. à café

Amandes effilées .... 50 g

Pêches fraîches .... 3 ou 4

Crème fleurette bien fraîche .... 50 cl

Mascarpone .... 3 cuil. à soupe

Pavlova glacée au citron

Pour 6 à 8 personnes   Préparation : 40 min   Cuisson : 1 h   Congélation : 12 h   Repos : 45 min

Ustensile : Batteur électrique

La Recette

Préchauffez le four à 170 °C (th. 5-6).

Préparez la meringue en suivant la recette de base (p. 10).

Mélangez le vinaigre ou le jus de citron, la farine de maïs et l'extrait de vanille. Versez cet appareil sur la meringue, puis mélangez délicatement.

Recouvrez deux plaques à pâtisserie de papier sulfurisé, dessinez 2 ronds de 21 cm de diamètre sur chaque puis, à l'aide d'une maryse, déposez 4 ronds de meringue assez plats.

Ramenez la température du four à 120 °C (th. 4) et enfournez les deux plaques. Au bout de 1 h de cuisson, éteignez le four et laissez sécher les ronds de pavlova en entrouvrant la porte.

Montez la crème en chantilly avec le mascarpone, puis incorporez délicatement le lemon curd (voir recette p. 42).

Une fois les meringues parfaitement refroidies, montez le gâteau : posez le premier disque dans le fond d'un moule suffisamment haut à fond amovible de 22 cm de diamètre environ et recouvrez-le généreusement de crème au citron. Répétez deux fois l'opération en coiffant le tout avec le quatrième disque de meringue.

Emballez le moule dans du film alimentaire et mettez-le au congélateur toute une nuit.

Sortez le gâteau 45 min avant de servir, démoulez-le et décorez-le de crème Chantilly et du zeste du citron râpé.

Les Ingrédients

Blancs d'œufs moyens (préalablement réservés à température ambiante) 8
Sucre extra-fin ....440 g
Vinaigre ou jus de citron ....2 cuil. à café
Farine de maïs .... 2 cuil. à soupe
Extrait naturel de vanille ....1 cuil. à café
Crème fleurette bien fraîche ... 75 cl ((pour les pavlovas) + 25 cl (pour la chantilly)
Mascarpone .... 250 g
Lemon curd ....2 pots
Citron non traité 1

À savoir

Vous pouvez conserver cette pavlova pendant plusieurs semaines au congélateur.

Pavlova ultra-facile au double chocolat et café

Pour 6 à 8 personnes   Préparation : 20 min   Cuisson : 1 h   Refroidissement : 2 h
Ustensile : Batteur électrique

La Recette

Les Ingrédients

Préchauffez le four à 170 °C (th. 5-6).

Préparez la meringue en suivant la recette de base (p. 10).

Mélangez le vinaigre avec le cacao en poudre et le chocolat haché. Versez cet appareil sur la meringue, puis mélangez délicatement.

Recouvrez une plaque à pâtisserie de papier sulfurisé puis, à l'aide d'une maryse, déposez-y un rond de meringue (15 cm de diamètre environ). Aplatissez légèrement le centre de ce rond et lissez les côtés : veillez à garder de la hauteur.

Blancs d'œufs moyens (préalablement
réservés à température ambiante) 6
Sucre extra-fin .... 300 g
Vinaigre .... 1 cuil. à soupe
Cacao en poudre tamisé .... 3 cuil. à soupe
Chocolat noir haché .... 75 g
Crème fleurette bien fraîche .... 50 cl
Mascarpone .... 3 cuil. à soupe
Liqueur de café .... 3 cuil. à soupe
Chocolat noir au café .... 100 g

Ramenez la température du four à 120 °C (th. 4) et enfournez. Cette technique vous permettra de créer une croûte à la surface avant de cuire lentement l'intérieur de la pavlova. Au bout de 1 h de cuisson, éteignez le four et laissez sécher la pavlova en entrouvrant la porte.

Montez la crème en chantilly avec le mascarpone. Séparez la crème en deux. Ajoutez la liqueur de café et le chocolat au café finement haché dans l'une des deux moitiés. Étalez cette crème sur la pavlova, en laissant couler un peu sur les côtés, puis garnissez de crème nature. Servez immédiatement.

Pavlova chocolat blanc, noisettes et rhubarbe

Pour 6 à 8 personnes Préparation : 40 min Cuisson : 1 h 10 Refroidissement : 3 h
Ustensile : Batteur électrique

La Recette

Les Ingrédients

Préchauffez le four à 170 °C (th. 5-6).

Préparez la meringue en suivant la recette de base (p. 10).

Mélangez le vinaigre ou le jus de citron, la farine de maïs et l'extrait de vanille. Versez cet appareil sur la meringue, puis mélangez délicatement.

Recouvrez une plaque à pâtisserie de papier sulfurisé puis, à l'aide d'une maryse, déposez-y un rond de meringue (15 cm de diamètre environ). Aplatissez légèrement le centre de ce rond et lissez les côtés : veillez à garder de la hauteur.

Ingrédient	Quantité
Blancs d'œufs moyens (préalablement réservés à température ambiante)	4
Sucre extra-fin	220 g
Vinaigre ou jus de citron	1 cuil. à café
Farine de maïs	1 cuil. à soupe
Extrait naturel de vanille	½ cuil. à café
Crème fleurette bien fraîche	45 cl
Chocolat blanc	150 g
Rhubarbe	300 g
Sucre	3 cuil. à soupe
Citron (jus)	½
Noisettes émondées	1 poignée

Portez à ébullition 30 cl de crème fleurette et versez-la sur le chocolat cassé en morceaux dans un saladier. Laissez reposer 2 min avant de remuer doucement afin d'obtenir une ganache bien lisse. Laissez refroidir au réfrigérateur pendant 3 h.

Préchauffez le four à 200 °C (th. 6-7).

Épluchez la rhubarbe et taillez-la en bâtonnets coupés en biais de 3 à 4 cm de long.

Déposez les bâtonnets de rhubarbe dans un plat à gratin, parsemez-les de sucre et du jus de citron et enfournez pour 10 à 12 min. Arrosez-les de leur jus à mi-cuisson.

Sortez la rhubarbe du four et laissez refroidir pendant quelques minutes avant de goûter le sirop et d'ajouter du sucre si nécessaire. Laissez complètement refroidir la rhubarbe dans son jus.

Hachez grossièrement les noisettes et faites-les griller dans une poêle en les saupoudrant de sucre pour les caraméliser légèrement. Laissez-les refroidir complètement.

Pour garnir la pavlova, fouettez la ganache au chocolat blanc jusqu'à ce qu'elle devienne mousseuse et montez les 15 cl de crème fleurette restants en chantilly, puis mélangez les deux préparations délicatement.

Étalez ce mélange sur la pavlova et déposez sur le dessus les bâtonnets de rhubarbe et les noisettes grillées.

Pavlova cappuccino

Pour 6 à 8 personnes   Préparation : 20 min   Cuisson : 1 h   Refroidissement : 2 h

Ustensile : Batteur électrique

Les Ingrédients

Blancs d'œufs moyens (préalablement réservés à température ambiante) 6

Sucre extra-fin .... 300 g

Vinaigre .... 1 cuil. à soupe

Cacao en poudre .... 5 cuil. à soupe

Chocolat noir haché .... 75 g

Crème fleurette bien fraîche .... 50 cl

Mascarpone .... 3 cuil. à soupe

Café soluble dilué dans 2 cuil. à soupe d'eau chaude .... 2 cuil. à soupe

La Recette

Préchauffez le four à 170 °C (th. 5-6).

Préparez la meringue en suivant la recette de base (p. 10).

Mélangez le vinaigre, 3 cuil. à soupe de cacao en poudre et le chocolat haché. Versez cet appareil sur la meringue, puis mélangez délicatement.

Recouvrez une plaque à pâtisserie de papier sulfurisé puis, à l'aide d'une maryse, déposez-y un rond de meringue (15 cm de diamètre environ). Aplatissez légèrement le centre de ce rond et lissez les côtés : veillez à garder de la hauteur.

Ramenez la température du four à 120 °C (th. 4) et enfournez. Au bout de 1 h de cuisson, éteignez le four et laissez sécher la pavlova en entrouvrant la porte.

Montez la crème en chantilly avec le mascarpone. Séparez la crème Chantilly en deux et ajoutez le café froid à l'une des deux moitiés.

Étalez la crème au café sur la pavlova, puis coiffez-la de crème nature. Au moment de servir, saupoudrez la pavlova avec la poudre de cacao restante.

Pavlova Nutella® et noisettes caramélisées

Pour 6 à 8 personnes   Préparation : 20 min   Cuisson : 1 h   Refroidissement : 2 h
Ustensile : Batteur électrique

La Recette

Préchauffez le four à 170 °C (th. 5-6).

Préparez la meringue en suivant la recette de base (p. 10).

Mélangez le vinaigre avec le cacao en poudre tamisé et le chocolat. Versez cet appareil sur la meringue, puis mélangez délicatement.

Recouvrez une plaque à pâtisserie de papier sulfurisé puis, à l'aide d'une maryse, déposez-y un rond de meringue (15 cm de diamètre environ). Aplatissez légèrement le centre de ce rond et lissez les côtés : veillez à garder de la hauteur.

Ramenez la température du four à 120 °C (th. 4) et enfournez. Au bout de 1 h de cuisson, éteignez le four et laissez sécher la pavlova en entrouvrant la porte.

Les Ingrédients

Blancs d'œufs moyens (préalablement réservés à température ambiante) 6
Sucre extra-fin .... 300 g
Vinaigre .... 1 cuil. à soupe
Cacao en poudre tamisé .... 3 cuil. à soupe
Chocolat noir haché .... 75 g
Crème fleurette bien fraîche .... 1 l
Mascarpone .... 3 cuil. à soupe
Café soluble dilué dans 2 cuil. à soupe
d'eau chaude .... 2 cuil. à soupe
Cacao en poudre .... 2 cuil. à soupe
Noisettes émondées
et hachées grossièrement .... 100 g
Sucre en poudre .... 100 g
Nutella® .... 3 à 4 cuil. à soupe

Montez la crème en chantilly avec le mascarpone. Séparez la crème Chantilly en deux et ajoutez le café froid à l'une des deux moitiés. Réservez l'autre moitié, puis ajoutez-y le cacao en poudre.

Faites griller les noisettes à la poêle, puis versez le sucre sur celles-ci en secouant légèrement pour bien le répartir. Faites caraméliser, puis versez ce pralin sur un tapis en silicone pour le laisser refroidir et durcir. Cassez-le en petits morceaux irréguliers et réservez.

Faites chauffer très légèrement la pâte à tartiner afin de l'assouplir, puis mélangez-la à la seconde moitié de crème, en veillant à ne pas obtenir un mélange parfaitement homogène.

Étalez cette crème sur la pavlova, puis décorez de pralin. Servez immédiatement.

Pavlova chocolat et cacahuètes

Pour 6 à 8 personnes   Préparation : 20 min   Cuisson : 1 h   Refroidissement : 2 h

Ustensile : Batteur électrique

La Recette

Les Ingrédients

Préchauffez le four à 170 °C (th. 5-6).

Préparez la meringue en suivant la recette de base (p. 10).

Mélangez le vinaigre avec le cacao en poudre et le chocolat. Versez cet appareil sur la meringue, puis mélangez délicatement.

Recouvrez une plaque à pâtisserie de papier sulfurisé puis, à l'aide d'une maryse, déposez-y un rond de meringue (15 cm de diamètre environ). Aplatissez légèrement le centre de ce rond et lissez les côtés : veillez à garder de la hauteur.

Ramenez la température du four à 120 °C (th. 4) et enfournez. Cette technique vous permettra de créer une croûte à la surface avant de cuire lentement l'intérieur de la pavlova. Au bout de 1 h de cuisson, éteignez le four et laissez sécher la pavlova en entrouvrant la porte.

Blancs d'œufs moyens (préalablement réservés à température ambiante) 6
Sucre extra-fin .... 300 g
Vinaigre .... 1 cuil. à soupe
Cacao en poudre tamisé .... 3 cuil. à soupe
Chocolat noir haché .... 75 g
Crème fleurette bien fraîche .... 50 cl
Mascarpone .... 3 cuil. à soupe
Cacahuètes salées grillées à sec .... 100 g

Pour la sauce

Chocolat noir .... 120 g
Beurre de cacahuètes .... 100 g
Golden syrup .... 3 cuil. à soupe
Crème fleurette .... 20 cl

Une heure avant de servir, faites chauffer doucement tous les ingrédients de la sauce dans une casserole en remuant. Laissez refroidir et épaissir.

Montez la crème en chantilly avec le mascarpone, étalez la sauce chocolat-beurre de cacahuètes sur la pavlova, puis la crème Chantilly. Pour finir, parsemez de cacahuètes grillées.

Mini-pavlovas poire et chocolat

Pour 6 à 8 personnes   Préparation : 1 h   Cuisson : 50 min   Refroidissement : 2 h
Ustensile : Batteur électrique

La Recette

Préchauffez le four à 170 °C (th. 5-6).

Préparez la meringue en suivant la recette de base (p. 10).

Mélangez le vinaigre ou le jus de citron, la farine de maïs et l'extrait de vanille. Versez cet appareil sur la meringue, puis mélangez délicatement.

Recouvrez une plaque à pâtisserie de papier sulfurisé puis, à l'aide d'une maryse, réalisez 6 à 8 ronds de meringue (1 par personne). Aplatissez légèrement le centre de ces ronds pour en faire de petits nids et lissez les côtés : veillez à garder de la hauteur.

Ramenez la température du four à 120 °C (th. 4) et enfournez. Cette technique vous permettra de créer une croûte à la surface avant de cuire lentement l'intérieur des pavlovas. Au bout de 50 min de cuisson, éteignez le four et laissez sécher les petites pavlovas en entrouvrant la porte.

Pochez les poires. Pelez-les en laissant les queues. Frottez-les avec du jus du citron pour éviter qu'elles s'oxydent. Dans une casserole suffisamment large et profonde pour y placer les poires debout, portez le sucre et le miel à ébullition avec de l'eau, puis déposez-y les poires et ajoutez la gousse de vanille. Laissez cuire à feu très doux en gardant les poires immergées dans le sucre et en les tournant délicatement si besoin.

Laissez cuire 20 min environ, jusqu'à ce que les poires soient fondantes mais fermes. Retirez-les du sirop et laissez-les refroidir complètement en même temps que les pavlovas.

Les Ingrédients

Blancs d'œufs moyens (préalablement réservés à température ambiante) 4
Sucre extra-fin .... 220 g
Vinaigre ou jus de citron .... 1 cuil. à café
Farine de maïs .... 1 cuil. à soupe
Extrait naturel de vanille .... ½ cuil. à café
Poires bien fermes .... 6 à 8
Citron 1
Sucre .... 250 g
Gousse de vanille 1

Pour la sauce au chocolat

Chocolat noir .... 350 g
Beurre demi-sel .... 150 g
Miel .... 2 cuil. à soupe
Crème fleurette bien fraîche .... 40 cl
Mascarpone .... 3 cuil. à soupe

Mettez un ou deux morceaux de zeste de citron de 3 cm de long environ dans l'eau de cuisson des poires et laissez réduire afin d'obtenir un sirop parfumé et épais. Ôtez du feu et laissez refroidir.

Dix minutes avant de servir, préparez la sauce au chocolat. Faites fondre doucement le chocolat avec le beurre et 3 cuil. à soupe d'eau au four à micro-ondes ou au bain-marie. Mélangez doucement afin d'obtenir une sauce brillante et lisse. Laissez refroidir quelques instants.

Montez les pavlovas : posez les « nids » de pavlova dans des assiettes ou dans des coupes individuelles. Montez la crème en chantilly avec le mascarpone et répartissez-la sur les pavlovas.

Posez une poire debout dans chaque nid de crème, mettez un peu de sirop autour, puis nappez de sauce au chocolat. Servez immédiatement.

Pavlova Mont-Blanc

Pour 6 à 8 personnes   Préparation : 20 min   Cuisson : 1 h   Refroidissement : 2 h
Ustensile : Batteur électrique

Les Ingrédients

Blancs d'œufs moyens (préalablement réservés à température ambiante) 4
Sucre extra-fin .... 220 g
Vinaigre ou jus de citron .... 1 cuil. à café
Farine de maïs .... 1 cuil. à soupe
Extrait naturel de vanille .... ½ cuil. à café
1 pot de 500 g de crème de marron
Marrons glacés
(ou miettes de marrons glacés) 6
Crème fleurette bien fraîche .... 25 cl
Mascarpone .... 3 cuil. à soupe
Crème fraîche .... 4 cuil. à soupe

La Recette

Préchauffez le four à 170 °C (th. 5-6).

Préparez la meringue en suivant la recette de base (p. 10).

Mélangez le vinaigre ou le jus de citron, la farine de maïs et l'extrait de vanille. Versez cet appareil sur la meringue, puis mélangez délicatement.

Recouvrez une plaque à pâtisserie de papier sulfurisé puis, à l'aide d'une maryse, déposez-y un rond de meringue (15 cm de diamètre environ). Aplatissez légèrement le centre de ce rond et lissez les côtés : veillez à garder de la hauteur.

Ramenez la température du four à 120 °C (th. 4) et enfournez. Cette technique vous permettra de créer une croûte à la surface avant de cuire lentement l'intérieur de la pavlova. Au bout de 1 h de cuisson, éteignez le four et laissez sécher la pavlova en entrouvrant la porte.

Étalez la crème de marron sur la pavlova.

Montez la crème en chantilly avec le mascarpone, puis incorporez la crème fraîche. Étalez la chantilly sur la crème de marron. Décorez avec des marrons glacés émiettés.

Pavlova Forêt-noire

Pour 6 à 8 personnes   Préparation : 20 min   Cuisson : 1 h   Refroidissement : 2 h
Ustensile : Batteur électrique

Les Ingrédients

///

Blancs d'œufs moyens (préalablement
réservés à température ambiante) 6
Sucre extra-fin .... 300 g
Vinaigre .... 1 cuil. à soupe
Cacao en poudre tamisé .... 3 cuil. à soupe
Chocolat noir haché .... 175 g
Crème fleurette bien fraîche .... 50 cl
Mascarpone .... 3 cuil. à soupe
Cerises noires au kirsch .... 300 g

///

Variante

*Vous pouvez remplacer les cerises au kirsch par des cerises
noires nature que vous mélangerez à 2 cuil. à soupe
de kirsch.*

La Recette

Préchauffez le four à 170 °C (th. 5-6).

Préparez la meringue en suivant la recette de base
(p. 10).

Mélangez le vinaigre, le cacao en poudre et 75 g
de chocolat noir haché. Versez cet appareil sur la
meringue, puis mélangez délicatement.

Recouvrez une plaque à pâtisserie de papier
sulfurisé puis, à l'aide d'une maryse, déposez-y
un rond de meringue (15 cm de diamètre environ).
Aplatissez légèrement le centre de ce rond et lissez
les côtés : veillez à garder de la hauteur.

Ramenez la température du four à 120 °C (th. 4)
et enfournez. Cette technique vous permettra
de créer une croûte à la surface avant de cuire
lentement l'intérieur de la pavlova. Au bout de 1 h
de cuisson, éteignez le four et laissez sécher
la pavlova en entrouvrant la porte.

Montez la crème en chantilly avec le mascarpone.

Déposez les cerises au kirsch sur la pavlova, puis
recouvrez de chantilly et décorez avec 100 g
de chocolat haché.

Pavlova Banoffee

Pour 6 à 8 personnes   Préparation : 45 min   Cuisson : 1 h   Refroidissement : 2 h

Ustensile : Batteur électrique

La Recette

Préchauffez le four à 170 °C (th. 5-6).

Préparez la meringue en suivant la recette de base (p. 10).

Mélangez le vinaigre ou le jus de citron, la farine de maïs et l'extrait de vanille. Versez cet appareil sur la meringue, puis mélangez délicatement.

Recouvrez une plaque à pâtisserie de papier sulfurisé puis, à l'aide d'une maryse, déposez-y un rond de meringue (15 cm de diamètre environ). Aplatissez légèrement le centre de ce rond et lissez les côtés : veillez à garder de la hauteur.

Les Ingrédients

Blancs d'œufs moyens (préalablement réservés à température ambiante) 4
Sucre extra-fin .... 220 g
Vinaigre ou jus de citron .... 1 cuil. à café
Farine de maïs .... 1 cuil. à soupe
Extrait naturel de vanille .... ½ cuil. à café
Biscuits type Granola® ou Digestives® 6
Beurre salé .... 75 g
Bananes pas trop mûres 3
Caramel au beurre salé .... 4 cuil. à soupe
Crème fleurette bien fraîche .... 50 cl
Mascarpone .... 3 cuil. à soupe

Ramenez la température du four à 120 °C (th. 4) et enfournez. Cette technique vous permettra de créer une croûte à la surface avant de cuire lentement l'intérieur de la pavlova. Au bout de 1 h de cuisson, éteignez le four et laissez sécher la pavlova en entrouvrant la porte.

Réduisez les biscuits en miettes, faites fondre le beurre et mélangez-le aux biscuits écrasés. Laissez refroidir et durcir.

Coupez les bananes en rondelles, faites légèrement chauffer le caramel au beurre salé pour l'assouplir, puis mélangez-le aux rondelles de bananes.

Déposez celles-ci sur la pavlova en veillant à les placer au bord de la meringue et à laisser couler le caramel sur les côtés.

Montez la crème en chantilly avec le mascarpone, puis couvrez-en le dessus de la pavlova.

Parsemez la pavlova de miettes de biscuits au beurre. Servez immédiatement.

Pavlova key lime

Pour 6 à 8 personnes   Préparation : 25 min   Cuisson : 1 h   Refroidissement : 2 h

Ustensile : Batteur électrique

La Recette

Préchauffez le four à 170 °C (th. 5-6).

Préparez la meringue en suivant la recette de base (p. 10).

Mélangez le vinaigre ou le jus de citron, la farine de maïs et l'extrait de vanille. Versez cet appareil sur la meringue, puis mélangez délicatement.

Recouvrez une plaque à pâtisserie de papier sulfurisé puis, à l'aide d'une maryse, déposez-y un rond de meringue (15 cm de diamètre environ). Aplatissez légèrement le centre de ce rond et lissez les côtés : veillez à garder de la hauteur.

Ramenez la température du four à 120 °C (th. 4) et enfournez. Cette technique vous permettra de créer une croûte à la surface avant de cuire lentement l'intérieur de la pavlova. Au bout de 1 h de cuisson, éteignez le four et laissez sécher la pavlova en entrouvrant la porte.

Réduisez les biscuits en miettes, faites fondre le beurre et mélangez-le aux biscuits écrasés. Laissez refroidir et durcir.

Fouettez la crème, le Philadelphia® et le mascarpone afin d'obtenir une crème bien épaisse. Ajoutez le jus et le zeste des citrons, ainsi que le sucre glace.

Parsemez la pavlova de miettes de biscuits au beurre, puis recouvrez de crème citronnée. Décorez de rondelles de citron vert. Servez immédiatement.

Les Ingrédients

Blancs d'œufs moyens (préalablement réservés à température ambiante) 4

Sucre extra-fin .... 220 g

Vinaigre ou jus de citron .... 1 cuil. à café

Farine de maïs .... 1 cuil. à soupe

Extrait naturel de vanille .... ½ cuil. à café

Granola® ou Digestives® 6

Beurre salé .... 75 g

Crème fleurette bien fraîche .... 50 cl

Philadelphia® nature .... 1 barquette

Mascarpone .... 3 cuil. à soupe

Citron jaune (jus et zeste) 1

Citrons verts (jus et zeste) 2

Sucre glace .... 3 cuil. à soupe

Citron vert coupé en tranches très fines 1

Pavlovas cupcakes à la cassonade

Pour 12 cupcakes   Préparation : 20 min   Cuisson : 1 h   Refroidissement : 1 h
Ustensiles : Batteur électrique • Caissettes à cupcakes ou à muffins

La Recette

Préchauffez le four à 160 °C (th. 5-6).

Préparez la meringue en suivant la recette de base (p. 10), en remplaçant le sucre extra-fin par la cassonade.

Mélangez le vinaigre ou le jus de citron, la farine de maïs et l'extrait de vanille. Versez cet appareil sur la meringue, puis mélangez délicatement.

Placez 12 caissettes blanches à cupcakes ou à muffins de 12,5 cl dans un moule et répartissez-y la meringue.

Ramenez la température du four à 120 °C (th. 4) et enfournez. Cette technique vous permettra de créer une croûte à la surface avant de cuire lentement l'intérieur des pavlovas. Au bout de 1 h de cuisson, éteignez le four et laissez sécher les pavlovas en entrouvrant la porte.

Montez la crème en chantilly avec le mascarpone. Coupez un chapeau sur le dessus de chaque pavlova, remplissez celles-ci de crème, puis recouvrez-les de leur chapeau. Servez immédiatement.

Les Ingrédients

Blancs d'œufs moyens (préalablement réservés à température ambiante) 4
Sucre cassonade .... 200 g
Vinaigre ou jus de citron .... 2 cuil. à café
Farine de maïs .... 2 cuil. à soupe
Extrait naturel de vanille .... ½ cuil. à café
Crème fleurette bien fraîche .... 30 cl
Mascarpone .... 3 cuil. à soupe

Pavlova déstructurée

Pour 6 à 8 personnes   Préparation : 45 min   Cuisson : 1 h 35   Refroidissement : 2 h
Ustensile : Batteur électrique

La Recette

Préchauffez le four à 150 °C (th. 5).

Préparez la meringue en suivant la recette de base (p. 10).

Mélangez la farine de maïs et l'extrait de vanille, puis versez cet appareil sur la meringue et mélangez délicatement.

Recouvrez une plaque à pâtisserie de papier sulfurisé puis, à l'aide d'une maryse, étalez un tiers de la meringue en fine couche.

Ramenez la température du four à 110 °C (th. 3-4) et enfournez. Au bout de 35 min de cuisson, éteignez le four et laissez sécher la pavlova en entrouvrant la porte.

Faites cuire le reste de la meringue au four à micro-ondes : versez-la dans un moule en plastique (par exemple, une barquette de glace) et laissez cuire sans couvrir, à puissance maximale, pendant 15 s. Si la meringue est devenue ferme, avec le dessus encore très souple, sortez-la du four à micro-ondes et découpez-la en carrés ou en rectangles réguliers. Si elle est encore molle, remettez-la au micro-ondes pour 5 s maximum.

Laissez refroidir, mais ne la gardez pas trop longtemps au réfrigérateur : la meringue n'étant pas très cuite, le sirop de sucre risque de suinter.

Montez la crème en chantilly avec le mascarpone.

Montez les pavlovas à l'assiette, en plaçant la meringue croquante cassée en morceaux irréguliers, un carré de meringue mousseuse à côté, puis disposez la crème Chantilly et les fruits tout autour. Parsemez d'herbes fraîches hachées.

Les Ingrédients

Blancs d'œufs moyens (préalablement réservés à température ambiante) 4
Sucre extra-fin .... 220 g
Farine de maïs .... 1 cuil. à soupe
Extrait naturel de vanille .... ½ cuil. à café
Crème fleurette bien fraîche .... 30 cl
Mascarpone .... 3 cuil. à soupe
Fruits découpés et herbes fraîches hachées pour décorer la pavlova : fraises, pêches, basilic…

Direction : Catherine Saunier-Talec
Responsable éditoriale : Céline Le Lamer
Responsable artistique : Antoine Béon
Responsable de projet : Lisa Grall
Révision : Fabienne Vaslet
Réalisation intérieure : Nord Compo
Fabrication : Isabelle Simon-Bourg
Responsable partenariats : Sophie Morier (smorier@hachette-livre.fr)

www.hachette-pratique.com

facebook.com/hachettecuisine

Dépôt légal : août 2014
23-8768-6/01
ISBN : 978-2-01-238768-3
Imprimé en Espagne par Cayfosa

Retrouvez les autres titres de la collection

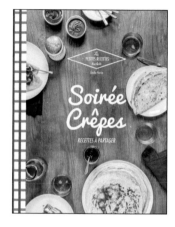